U0137002

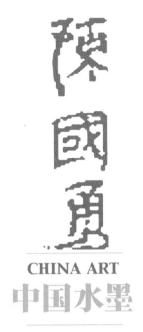

CHINA ART

中国水墨

（第二编）

北京燕山出版社

图书在版编目（CIP）数据

中国水墨.第2编，陈国勇卷／陈国勇绘.—北京：北京
燕山出版社，2005.8

ISBN 7-5402-0839-2

Ⅰ.中…　Ⅱ.陈…　Ⅲ.水墨画－作品集－中国－现代
Ⅳ.J222.7

中国版本图书馆 CIP 数据核字（2005）第 100157 号

中国水墨 陈国勇卷

主　　编：赵蒂嘉
责任编辑：李海滨　谭云　陈果　徐勇　杨燕君
设　　计：易瑞东　王淑萍　李煜润　刘刚　陈卫群
摄　　影：苏晟　王豫明　李泛
出版发行：北京燕山出版社
地　　址：北京市东城区灯市口大街 100 号（100006）
出　　品：北京燚塑堂文化艺术中心
邮购地址：北京市亚运村邮局 100101 信箱 165 分箱（100101）
邮购电话：86-10-61765765　81458958　81458968
联 系 人：董保建
经　　销：各地新华书店
制版印刷：北京联兴盛业印刷有限公司
开　　本：850 × 1165　1/16
字　　数：11.6 千字
印　　张：7.75
印　　数：001-5000 册
版　　别：2005 年 10 月北京第 1 版
印　　次：2005 年 10 月北京第 1 次印刷
ISBN 7-5402-0839-2
总定价：960 元（全二十册）

作为一名画家，他在社会中扮演的角色和他自己意识到他在社会中的位置及其承担的某些功能是要在其思与行中体现出来的。不管在这承担责任或者说谱写生命的过程中，他的内心怎样地游移于期望和实现期望的可能性中；他的平静中的反省；他的创造时的冲动，这些完全私人的行为在与他者的接触中公共化了。在先入为主的个人选择与不由自主的社会批评中他作品本身的意义和价值取向得到印证。

陈国勇　号清瘦客，1948年生，重庆丰都人。1977年毕业于四川美术学院中国画系，1978年考入西安美术学院中国画系，攻读山水研究生，1980年毕业后留西安美院国画系任教。现为西安美院国画系副教授，硕士研究生导师。社会兼职为陕西省收藏家协会副会长，艺术鉴定委员会主任委员，陕西省美术博物馆艺术鉴定顾问。

山色烂漫

文〇李小山

二十年前，我发表关于"中国画穷途末路"文章后，国勇亦写了一篇与我观点相似的文章，发表在同一刊物上，这算做是一次神交。五年前，我主持"新中国画大展"，邀请国勇参展，他拿出了几张大篇幅的力作，在展览上引起了关注。前年我去西安，到陈国勇的画室看画，发现国勇的画风发生了较为明显的变化，我考虑，这种变化是由于复杂的因素促成的。

从当下的普遍现象看，许多比较前卫的水墨画家不约而同回归传统，是值得思考的。按一些评论者说法，水墨画家回归传统是迷途知返，说明在西化风气下产生的实验性的水墨没有前途，而传统水墨则万寿无疆。我不想参与这样的无聊争论，我只想指出一点，以前我们所称的中国画也好，现在所谈的水墨画也好，其面貌都是依据于产生它的实践背景，比方说，当我写"中国画穷途末路"时，指的是它在文化封闭、保守环境中的窒息和黯淡，当我看到画家心甘情愿"回归"传统时，我发现原先的文化生态已面目全非，所谓传统只类似于店铺的招牌，它非常顺从地服从一个原则，即市场的原则。

同样，国勇画风的改变也凸现了这种化学反应般的特征，从他最初颇为激进的姿态，过渡到兼顾传统和创新两者之间的平衡，一方面表达了他对水墨画创作的新认识，另一方面也体现了实践背景的制约关系。其实在任何时候，画家都会面临某种选择，优秀的杰出的画家并非只有凡高一种类型，达利便公然宣称：我的画笔是开凿金矿的镐斧。画家的成就取决于他所有条件的综合，正如袁枚论诗时所说的，好的诗人才、力、识、胆四者缺一不可。就是说，艺术的高度是倚赖于多种因素，并且，在很多情况下，环境和氛围的制约几乎是致命的。我看到我身边那些曾经才华出众的画家身陷欲望的泥沼，被日益高涨的名利心所拖累，完全偏离了画画的轨道，成为不折不扣钞票印刷机。我想指出，画家在商品社会、市场经济的背景下，参与其中，获得应得的份额，是合情合理的。我的意思是，如果一个即使是才华卓著的画家一头钻进钱孔，而对艺术本身失去热情，我们就应该鄙视他，唾弃他。真正有作为的画家，需要按艺术史的视野来对待，因而不是由一朝一夕的贫富、声望和地位来决定。

国勇郑重其事对我说过，他成不了第一流大师，但通过努力能够达到第二流的

位置。我看到、听到另外一些比国勇差得远的画家动辄以大师自居，以此招摇撞骗，相比之下，国勇的品格便显示出来。在一个大师满天飞的时代，自封的和册封为大师，是没有任何荣誉而言的。正如每个省都在按照号令推出十个所谓的国画大家进京展览，几乎是一场闹剧。

近几年来，水墨画的发展有一个较为明显的趋向，即前面所讲，朝传统回归。所谓的"回归"，实质是实践背景发生变化后的逼迫，也就是说，由于受众的原因，更由于市场的原因，审美和欣赏的惰性占了上风，画家普遍趋向于创作"雅俗共赏"的作品，以博取自己的地盘。当然，其中也包括了水墨画实践的自律在起作用。很多年前，我曾把"中国画"当作"保留画种"来论述，前提是保留它的边界和特点。我与国勇谈论过这方面的问题，尽管没有更深入的交流，但基本的想法是一致的。国勇以他的耐心而艰难的实践，证明了水墨画的空间和可能性是存在的，在观念、技巧、表现力和视觉效果上，都有潜力可挖。这让我相信，我们对于水墨画前景所抱的悲观态度和乐观态度实际上都不重要，重要的是坚持深入的实践，说到底，作品本身是胜过言谈的，反过来说，一切言谈的基础都是依据于作品的。

在人们的印象中，国勇似乎是一个山水画家，这是不错的。国勇目前的确把主要精力放在山水画的创作和研究上，不过，从他的整个创作实践看，前面各个阶段所积累的经验，都对他非常有益。国勇曾经迷恋水墨画的革新，在某种思潮的催动下，对陈规陋习发起过强有力的冲击。但是他的理性告诉他，水墨画的革新并非按照一种范本亦步亦趋，即使西方的现成经验可以作为自己的参照，也只能是众多元素中的一种。所以，国勇及时获得了与自己实践相适应的认识，把传统的元素考虑进来，将其当作丰富画面表现力的手段。

与别的画家对待传统笔墨程式的态度不同，国勇没有把程式当作一成不变的东西，他强调的是笔墨的表现力。例如，在用笔上他力求将力度和韵味结合起来，力求变化和节奏感，并着力夸张它在画面中的骨架作用，使其产生类似金属感的效果。在用墨及用色上，国勇的方式颇有点"西画"味道，当然，这样的表述不准确，我是指，由于国勇的整个观念已经脱离了传统窠臼，自然而然获得了一种自由。他把墨和色交融在一道，墨是色，色也是墨，但画面给人的感觉却是色彩烂漫，——尽管他的用色并不特别绚丽。

国勇喜欢画云，换句话说，云彩在他的画中起到了至关重要的作用。在当下画坛，许多画家都采用以画云彩来渲染气氛的方法，显然是对传统水墨的颠覆或补充。传统水墨的"空白"代表了以往绘画的自然观，无论山水、花鸟还是人物，"空白"所蕴涵的"虚"是相当有讲究的，"虚"与"实"之复杂关系，是传统画中的要素之一。当代画家与此拉开距离，目的性显而易见，就是要突出自身经验的符号意义，从而取得自己的制高点。国勇的云彩富有神秘感和想象力，但是还不足以构成完整的优点，因为云彩的"实"可能会堵塞观画者的思想空间，仅仅作为一个视觉的内容，我认为这是处理"虚、实"关系的关键所在，优点即是不足，正是最好的说明。

另外，国勇的山水画注重对形象的刻画，山貌、树木、岩石、流水、飞鸟和动物等等，表露出勃勃生气，远远高出了那些闭门造车的画家一头。我注意到，国勇虽长期生活在西安，却没有过多地受到周围画家的影响，与"长安画派"不发生联系，这是件好事。地域和地域文化往往对一个画家影响至深，犹如"金陵画派"、"岭南画派"一样，这些地区的画家都是交叉感染的，优点是共同的，缺点也是共同的，这不免令人遗憾。国勇画自己的画，追随自己心灵的足迹，一步步向前探索，他已走过的路大家有目共睹，他前面的路包含着大家的期待。我想补充一点，国勇尽管超越了地域性限制，对各种资源和养料都能得心应手地运用，但他仍然需要进一步跨入当代文化的开阔地，眼下是一个很好的机会。因为，国勇的爆发力是足够的，能够跨越各种障碍，获得一种真正的艺术的自觉，摘去他的理想之果。

陈国勇画室一角

峥嵘奇崛 梦里云山

——读陈国勇近作

文〇殷双喜（博士、艺术评论家）

在陕西中国画界，陈国勇的山水画不是黄土画派正宗。虽然他读研究生期间，在西安美术学院受过严格的基本功训练，但看其早期山水画，并没有炫耀笔墨之处。令人注意的是他不甘于步前人后尘，锐意创新，画面呈现出一种象《山海经》一样的奇诡之气，具有丰富的想象与不同寻常的图式。以传统笔墨的标准来看，陈国勇的画不够敦厚中正，过于追求奇险，想象虽然大胆，但与自然形象相去甚远。换言之，陈国勇的山水画并非依据现实景象写生加工，组合而成，它们更多的是画家梦中所思，情之所寄，具有一种冥想中的怪诞意味。

这自然要追溯到陈国勇的山水历程，虽然陈国勇生活在西安这个传统文化底蕴深厚的古都，有着很好的中国传统文化修养，精于鉴赏，富收藏，但他并不是一个摹古不化的老夫子。上个世纪的80年代，正是西方现代文艺思潮涌入中国之际，促成中国美术界的"85新潮"，先是李小山喊出"中国画的危机"，后有谷文达等人锐意图变，以"宇宙流"式的现代水墨实验，撼动着传统中国画的营垒。1986年6月在陕西杨陵召开的中国画传统问题学术讨论会上，黄秋园的传统图式与谷文达的惊世骇俗，从不同的角度反映了那个时期中国画坛的动荡与不安。青年陈国勇也加入到中国画新思维、新观念的变革之中，实验性地用西方现代观念、绘画表现形式、游戏规则进行中国画创新，从80年代中期至90年代，创作了一批带有潜意识、梦幻、荒诞类作品，在这个领域里走了很长一段路。

近年来，随着阅历、学养的渐长，陈国勇

对中国画认识上发生了新的变化。尤其是在2000年5月，参加了在上海举办的新中国画大展后，他开始认真反思，反省个人的艺术创作道路和当今中国画坛纷乱的现状，重新审视传统中国画的发展演变，重新寻找东、西方美学观念、游戏规则的差异，认真寻求更富有中国人文精神内涵的个人艺术语言、风格，以求对自身的艺术定位有更清晰的认识。他边悟边画，边画边悟。再回首，往事似已成烟，对陈国勇80年代以来用新的审美观念进行中国画创作的过程，我们不能简单说对或错，但是可以肯定的是，他所经历过的这个过程是很有意义的，至少现在陈国勇在中国画的创作实践中比以前更理性，对传统中国画千古不衰的魅力所在较前有着更深的认识。

陈国勇的近期作品，从直观上看，似乎是向传统回归，这在90年代初的一些前卫画家看来，大概是一种倒退。其实，向传统回归并非坏事，但亦非易事，关键

是回到传统中去寻找什么，毕加索在其艺术发展的每一阶段，经常向传统回归，从中获取新的前进动力。例如他对于古典主义的回归，使他对形体与结构的认识就更加深入，从中寻找立体主义的新的美学方向。陈国勇向中国画传统的回溯，是对传统的再认识，是知识分子对精神家园的回归。我认为，在这一过程中，他对传统美学中的"散、淡、逸、雅"的高境界，有了新的认识。通过对传统中国画的审美意境的体会，他再次发现了中国山水画对现代人特别是对现代知识分子的精神与人格塑造的重要意义。

　　仔细阅读陈国勇的山水画，我们可以看到，经过现代艺术思潮的洗礼，当代中国画家不可能再回到中国古代先贤那种"独钓寒江雪"的出世之境。现代中国画家更多的是在自我人格的修练与主体情感的基础上抒发"畅神"，"言志"的胸怀。陈国勇的山水画，貌似传统，骨子里有着很强的创新意识，其中也吸收了现代艺术对于结构和色彩的研究成果。在他的作品中，山、水、云成为主体，但画的最多和最好的还是山与云，这也许是陕地缺水的缘故。而在山与云的表现中，云的描绘更加出色。如果说，前辈画家陆俨少的山水画中写云山氤氲最为出色，以我所见，在今日山水画界，陈国勇对云的表现，应是独具一格。这里不是说他对云的描绘如何写实生动，而是指他通过对云的表现，获得了中国山水画中最为难得的生动气韵。明代唐志契在《绘事微言》中说道："气润生动与烟润不同。盖气者有笔气，有墨气，有色气；而又有气势、有气度、有气机，此间即谓之韵。"清代唐岱也指出"气韵非云烟雾霭，是天地间之真气"，他强调画山水要画出其苍茫润泽之气，腾腾欲动。在中国古代画论中，强调山水画的格调、神韵、空灵之气，有着悠久的传统，五代荆浩在其《笔法记》中特别注重"山水之象，气势相生"。陈国勇写山川之灵性、云之变幻，求无形中变化之无限，无论是横云、卧云，还是滚云、长云，均在烟霞流润中涌进，"发笔得峭爽劲逸之气"。情绪所至，真情所依，意将自然之感性，汇入古典美学之理性和个人风格的特性，达到更高的境地。石涛说："漫将一砚梨花雨，泼湿黄山几段云"。这种人神和谐，天地对话的境界，对陈国勇来说，正是一种启迪。

　　近年来，陈国勇把自己关在画室里探索、研究、读书、补气，过着与世无争、简单而悠闲的生活。宋代文学家欧阳修认为："萧条澹泊，此难画之意，画者得之，览者未必识也。

故飞走迟速，意近之物易见，而闲和严静，趣远之心难形。"①现代社会的激烈竞争使人浮躁，艺术家如欲使观者与其共享山水畅神之境，自己首先要修练趣远之心，此话说易行难。清原济尝云："盘礴睥睨，乃是翰墨家平生所养之气。峥嵘奇崛，磊磊落落，如屯甲联云，时隐时现，人物草木，舟车城郭，就事就理，令观者生入山之想乃是。"②陈国勇的山水画中，常见天山夕照、赤壁如火、华山万仞，险峻入云，这一派壮美雄强之景，其实也已见出画家胸中的萧寥不平之气，更有雄鹰在云中翱翔，骏马在大漠驰骋，有一种奋发千里的激情。

陈国勇的山水，努力探索不同的笔墨表现方式。如《高山流云》、《夏雨初收》、《仙山神游》、《梦回故里》等作品，在色彩上不仅能依山形水势，更依个人心境，浓墨重彩而又与笔墨融为一体。《少陵原下》、《故里黄昏》等作品，则以墨见长，将暮色苍茫时分那种远近山脉的浑然一体，表现的凝重从容。而《四季云山》、《终南山瑞雪》、《鸟鸣青山外》、《丹枫白露》等作品，更以笔力骨气见长，重线勾勒与浓墨皴擦相结合，体现出山体景色的厚重与丰富变化，在视觉上足堪玩味，呈现出陈国勇对大山大水的整体把握能力。

陈国勇近年来对中国传统山水意境的再认识和再发掘，体现了当代中国画的一个新趋势，即在西方艺术思潮的强势之下，中国画的自强不息与积极创新。历史在这里仿佛又一次静观当代人的回归，当求新求异成为西方当代艺术的根本标准时，中国传统艺术对内在的精神质量的注重，更显示出其千年的凝重与博大，它提醒我们"温故而知新"这样一个朴素的真理。

注：① [宋]欧阳修《佩文斋书画谱》，转引自周积寅编著《中国画论辑要》，江苏美术出版社，1985年8月第1版，第238页。② [清]原济《大涤子题画诗跋卷一·跋画》，周积寅编著《中国画论辑要》，第226页。

摄影：王豫明

陈国勇常用印章、古墨

云游山水间

——陈国勇和他的画

文○贾方舟

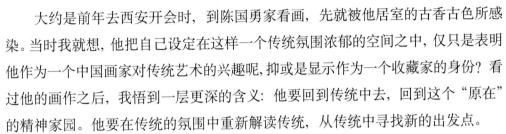

大约是前年去西安开会时，到陈国勇家看画，先就被他居室的古香古色所感染。当时我就想，他把自己设定在这样一个传统氛围浓郁的空间之中，仅只是表明他作为一个中国画家对传统艺术的兴趣呢，抑或是显示作为一个收藏家的身份？看过他的画作之后，我悟到一层更深的含义：他要回到传统中去，回到这个"原在"的精神家园。他要在传统的氛围中重新解读传统，从传统中寻找新的出发点。

我一直觉得，陈国勇作为一个艺术个案很值得研究。我从未与他深谈过，对于他本人也知之甚少。但凭我的直觉，我感到他不属于那种循规蹈矩的人，他的骨子里有一种谁也说不清的（或许也包括他自己在内）东西在作祟。他本属于中国山水画科班出身，1978年就考取了西安美院研究生，从师罗铭教授。但在倡导"观众更新"的80年代，陈国勇的确离开了传统的山山水水，出其不意地走入一个荒诞不经的"神魔境界"。在很长一段时间中，他虽然还不断有山水画作问世，却也一直没有放弃去画那些神秘、诡异的作品。这些画和他的山水画有很大差异甚至是大异其趣，但他却能够同时在这样两个不相干的领域周旋并应对自如。这在当代画家中还是很少见的。我不大相信那些超现实的荒诞之作是他一时心血来潮或为赶潮流的模仿之作。我猜想那一定是他心中无法排解的和非要表达不可的一种精神倾向。这使我想到周作人曾经自我表述过的一种情景：他自称他的灵魂里有两个鬼——流氓鬼和绅士鬼——指挥着他的言行。有时流氓鬼起着主导作用，有时绅士鬼占了主异地位。而且这两个鬼经常在他身上争吵、打架。他说："我对于两者都有点舍不得，我爱绅士鬼的态度与流氓鬼的精神"。陈国勇的身上是否也存在着这两个指挥他作画的"鬼"呢？当他接受此一鬼的指挥时，他的画作大气盘旋，当他接受彼一鬼的指挥时，他的画作就变得妖气弥漫。

近几年来，他似乎不再在两个领域周旋，拒绝了彼一鬼的指挥，彻底回到"人间正道"上来，但我们依然还可以看到，在他画的某个角落、某些局部或某些自然物象中，例如那些"九道弯儿"的树形中，还隐隐约约弥散出一种妖气。

但在陈国勇的山水画中，占主导地位的主要还是一种大气、正气和阳刚之气。他的山水作品就总体而言，可以说既继承了北派山水的雄风，又不拘泥于传统山水的一笔一墨；既得益于传统的血脉，又植根于个人化的感受之中。

陈国勇的山水画给我的印象是非程式的，是随感而发、随心所欲的。他从不拘泥于固定的笔墨程式，从不以不变的笔墨去应对千变万化的自然。所以，他的山水画能呈现出并不单一的风格面貌。从皴擦点染，到图式结构，都各各有别。这或许跟他提出的"不重复古人，不重复今人，不重复生活，不重复自己"的艺术主张有直接关系，但更重要的我想还在于，他作画总是把尊重自己的感受放在首位。当用笔用墨必得服从于他的特定感受时，一成不变的笔墨程式便难以斯守，这就构成了他的山水画的多变性。且不说他在不同时期所表现出的不同，即以同一时期（如最近一年）的作品为例，其差异也还是很大：

《云横天地》，以简洁的直线和近于几何的造型表现崇山峻岭的宏伟与险峻，加以烟云缭绕、横云断峰的渲染，就更加强了这一主题的表达。

《跑马贺兰山下》，以红、蓝两色的对比和短促多变的线条，表现了山势的逶迤和律动。不只是马在跑，连大山也随之"生动"起来，从而造成马蹄踏踏，群山皆响的意境。与前一幅所表达的意境迥然不同。

《夕照贺兰山》，虽然也是以色彩为主，画的也是贺兰山，但意境与《跑马贺兰山下》更是大异其趣。夕阳残照中的贺兰山不再具有《跑马贺兰山下》那样强有力的韵律和空间节奏。整个山峦变得浑然一体，山下缓缓浮动的雾霭与远天的红云相呼应，使山势在柔和、朦胧、宁静的氛围中显得更加整体和庄严。

《秋风起兮云飞扬》和《祥云图》在图式和笔法上都比较接近，而且与传统山水画也有更多共同的因素。但它们之间仍然有明显差异：前者多"渴笔"，意在"干裂秋风"；而后者则多"湿笔"，意在"润含春雨"。一个萧瑟，一个温润，两种不同的意境跃然纸上。

陈国勇收藏的印

《闲云图》和《雾起蜀东》。陈国勇画云雾可谓一绝。它能把云画得既浓密、厚实，又松动、轻薄。从而把"云山雾罩"的意境表现得淋漓尽致。特别是，在这两幅作品中，它能把"云山"和"雾罩"这两种意境区别开来，实为不易。《闲云图》画得是云，云缭绕于山峦之间，云、山清晰可辨；《雾起蜀东》画得是雾，雾弥漫于山石之中，山、雾都显得虚无、空灵和不确定。在雾的弥散中，连坚实的山体也不再坚实，让画家产生游移、浮动的错觉——此时的皴法全变成了"曲线"，因为在他眼中的山石不再是稳定的结构，而是处在"山随雾移"的动态之中。但在《闲云图》中不是这样，《闲云图》表现的是"云动山不动"。山画得厚重而坚实，巍峨而壮观。

上述七幅作品均为2003年所作。从中我们不难看出画家是在画他感觉中的山，感觉中的水，而非程式化的山，程式化的水。所以他能面对不同的对象，作出不同的艺术处理，使每一幅画都是它"自己"，而不可以被同类的任何一幅画所取代，这是很少有人能做到的。一个山水画家，甚至画一百张山水画都可以相互取代，不分你我，这样的例子随处都可以找到。风格的不统一在画商来看肯定是一个大缺点，因为"产品"不定型难以包装销售。但在作品之间所寻求的这种差异性，在我来看却是陈国勇的山水画最为可贵的地方。纵然他在艺术上有多少不足，仅此点也足以称道。

云游山水间的陈国勇，从追求画家的个性延展到追求作品的个性，这便是他的与众不同之处。

2004-2-27于北京京北上苑三径居

陈国勇画室南墙

蜀山秋韵
132cm × 70cm
2004
陈国勇

山水画创作散谈

文〇陈国勇

　　我们谈山水画创作，并非是简单地谈论如何画一幅山水画那样简单的问题。画家今天的一日之功、得心应手，是画家经过多年的操盘、修炼、实践、思索、再实践的寻梦结果。

　　山水画创作犹如一套非常复杂的系统工程，它需要艺术创作者们从不同的角度去切入，在艺术神奇的殿堂游弋，亲身体验，感受这魔幻的魅力。凡从这"魔幻"中出来的人，各自的感受是不一样的。有人在"里面"找不到方向，不按规则游玩，精疲力竭地出来，累得半死，甚至什么感觉也没有；有人在"里面"玩得非常开心，顺其自然，放胆嬉戏，随心所欲地狂歌乱舞，出来之后还添油加醋，自编自演一些光怪陆离的故事。艺术就如同这"魔幻场"，画家就是进入这"魔幻场"尽情发挥，出来之后向世人讲述这离奇故事的人。

　　画家周韶华先生曾给我讲了一个寓言：有一个神仙与一个妖怪在天上打仗，两个法力、道行都相差无几，一时间打得天昏地暗。相持地打一阵之后，神仙就窜到地上踩地气，返回天上又变得精神抖擞，故而屡占上风；妖怪吃紧，奋力抵抗。如此反复多次，妖怪就发现了神仙这一套把戏，于是穷追猛打，逼得神仙没有机会去

夏山观云
200cm × 125cm
2004
陈国勇

山水画创作犹如一套非常复杂的系统工程，它需要艺术创作者们从不同的角度去切入，在艺术神奇的殿堂游弋，亲身体验，感受这魔幻的魅力。凡从这"魔幻"中出来的人，各自的感受是不一样的。有人在"里面"找不到方向，不按规则游玩，精疲力竭地出来，累得半死，甚至什么感觉也没有；有人在"里面"玩得非常开心，顺其自然，放胆嬉戏，随心所欲地狂歌乱舞，出来之后还添油加醋，自编自演一些光怪陆离的故事。艺术就如同这"魔幻场"，画家就是进入这"魔幻场"尽情发挥，出来之后向世人讲述这离奇故事的人。

踩地气，最后妖怪大获全胜……故事讲完，周老对我狡猾地一笑，说："'神仙'就是画家，'地气'就是中国画的传统。"至于妖怪代表什么，大家自可猜测。

常有学生问我：什么是中国画传统？中国画创作的规律是什么？我虽然在中国画山水领域"玩"了几十年，在艺术探索创作中一路走来，体验了太多的苦与乐，得到了很多的经验和教训，却也很难用只言片语明确地回答这个问题。因为每个人的感受不一样，答案会有差别。

石涛有"无法而法，乃为至法"之说，这一精辟论述一语道破山水画创作的"天机"。初学者首先是从无法开始的。无法而无知，无知而无法是真正的无法，这是初学者还没有进入艺术创作的第一个层面。有法是从无法进入有法度的层面，有法有矩，受规矩约束，因而不自由、不自在，这是进入创作的第二个层面。"无法而法"是已知法而不拘于法，有法而不拘泥于法，"我自为我，自有我在"，"变化"乃是至"法"的核心，这是进入创作的第三个层面。这一层面是一个质的变化，艺术的原创点是以有法有矩但又不拘于法的创造，并非是无教化的胡涂乱抹。不拘法、不循法是针对太拘法、太泥古不化的反叛，这是创作的最高境界。

美国总统尼克松说过，"有人是生来天才，有人是学习天才，有人的天才是别人强加的。"古往今来，每个时代都有精英人才辈出。在中国画坛，山水画艺术之所以千年不衰正是历代大师贡献自己智慧、才情，推陈出新的结果。大师中确有天性聪慧、学养禀赋超群者，但这样的天才毕竟是少数，更多的大师是靠后天的学养补气，通过自身的努力修炼而成大器。我们应该从哪些方面切入，才能具备成为名家巨匠所必须的素质？才能达到创作自由自在的境界呢？

一、画品如人品，画画先学做人

闲云图

132cm × 68cm

2002

陈国勇

梦时里巴山起白云

132cm × 68cm

1993

陈国勇

白云追日
180cm × 98cm
2004
陈国勇

画家要在人品、性格上锤炼、培养自己，这是艺术创作之首。我们常说，"画品如人品"，人品的高下直接影响画作的品格。而好的人品源于深厚的道德修养和文化修养——强调做人要做坦荡君子，学养要有全方位的儒雅追求。

翻开中国绘画史，大凡在中国山水画领域中的集大成者，不但有高深的艺术造诣，而且其人品、学养也都极高。"人无品、则画无品；人不正，则画必邪。"这是古人品评画家的标准。我强调今人向古人学习，不仅要学习古人的画技，更要学习延续千百年来民族精神中弘扬的追求高境界，胸怀坦荡的君子风范。

艺术创造是主观精神的活动，性格、性情是影响山水精神风貌的另一重要主体因素。开放、豁达、坚定向上的精神气质是必不可少的。"放"，如天马行空，要放任自己的思维，在偏执和狂想中追寻梦的境界；"收"，如老僧坐禅，清静朴素、含蓄内美。要始终在粗犷和精妙中练就自我的性格，在真实与狂想中寻找和搭建自身艺术的原创点。

"功夫在画外"，无论是七分天赋三分修炼，还是三分天赋七分修炼，到头来都有可能成就大业。能否成就事业，要经过艺术家们锤炼和提高自身修养的过程，最终要用品节、胸襟，打造具有高尚精神、超逸情怀的优秀山水作品。故此，学画先学做人。

二、师古人之迹，更要师古人之心

临摹传统是学习山水画的必由之路，也是总结前人经验，寻找自我风格的简捷之路。临摹的方法多种多样。有人是直面原作临摹，有人是先读作品，弄清原作的画法画理之后背临或变临；有的是全幅临，有的是局部临，这些可根据学习者的实际情况而定，并无一定之要求。但我强调，在我们临摹古人作品之前，先要认真阅读、研究临摹品。揣摸作者的立意创景，弄清作品的构图章法。在规矩法度中得其意、忠其形、传其神。另外，在临摹古人作品时，还应同步阅读和研究一些古人的画论画理，以加深对原作的理解，提高临摹的质量。

临摹是一个长期的艰苦的学习过程。石涛有言："师古人之迹，不师古人之心，不能出一头地也，冤哉。"因此，在临摹中学古人的笔墨固然重要，但决不忽略学古人的思想。我认为，临摹前人作品的目的决不是为了将来因袭前人，而是为在研究、了解前人之后，避开前人。脱胎换骨是艺术创作的生命之源，先入后出是艺术家成就大业的必经之路。李可染先生曾提出"要用最大的功力打进去，再

高山流云
180cm × 98cm
2000
陈国勇

梦回故里
132cm × 68cm
1994
陈国勇

高山高
180cm × 98cm
2000
陈国勇

云横天地外

132cm × 68cm

2004

陈国勇

春到逍遥谷
132cm × 70cm
2000
陈国勇

春韵
132cm × 70cm
1994
陈国勇

红草山庄
132cm × 70cm
1995
陈国勇

用最大的功力打出来”，这一进一出正是研习传统和跳出传统的关键。有些人未进就急于出，缺乏底蕴和根基；有些人进了却一辈子都出不来。临摹是“进”的初始过程，就此固步自封，将是可悲的。这也是我多年来在艺术创作中始终游于传统与现代之间的体会。

三、写山川灵性，为自然传神

画山水，一定要饱览自然景观中的真山真水。北方山水雄伟，多奇峰峭壁、荒漠黄沙；南方山水秀丽，多烟霞云雾，飞瀑流泉。如安徽的黄山，山奇、树奇、云更奇，千变万化，不是亲眼看过，凭空臆造是表达不出自然境界的神奇。故多游历、多体察生活中的风土人情，与真山真水对话，感悟真山真水的灵性，就能寻找到表现外貌、气息和神韵的各种技法。石鲁先生强调“生活为我出新意，我为生活传精神”，眼中有山，心中自然会有山。情景交融，物我两化，面对自然景观中的各种变化，一摇笔管，心领神会，各种知名或不知名的皴法就会自然跑到你的手腕下。

古人观景采用以大观小的方法。先进入山中游玩，寻找山的来龙去脉，然后“搜尽奇峰打草稿”，以腹稿的方式得其意，写其形，传其神。今天人们外出写生，多受西洋自然写真的影响。西洋风景写生是写实写貌，多以表现自然实景之美为目的，貌可学而至。真正的国画家面对大自然写景，有他自己的一套理论和方法。自然景观中的客观物象只是他写生摄取的一个方面，另一方面，写生融入画家的感情、修养，才能达到源于生活而高于生活的艺术提炼。所以，中国画山水写生重貌，更重心源、重精神，追求“法备气至为上”，“法”是技法，“气”是自然山水之灵魂，即所谓“造化如画”、“画夺造化”，精神与自然对话，感悟鬼斧神工般的自然之象，写出云山雾谷的自然灵性，描绘山水的神韵神魂，为山水传神，这是中国山水画家与西洋风景画家在写生追求中的根本不同。

四、读书养性，观画养眼

读书养性、观画养眼是提升自身的艺术品格，摆脱尘俗之气的最佳良药。开始应广读博览与艺术有关的、感兴趣的美学、文学类等古典名著；然后由博返约，有选择地研究一些与专业有关的画论，如《石涛画语录》就是一本非常好的书。我在研究生学习期间就天天读、反复读诵。有些章节甚至可以背诵，直到完全弄懂。石涛是我真正的老师，他教会我如何进行山水画创作。所以，在广博的同时，不可忽视要对一些经典之作精读细嚼。

人要讀
書是可
補氣面
主古意
方乃鑒賞
此乃余近日
所思所得
所悟也
辛巳年
冬暮
陳國勇作

秋风起兮云飞扬
70cm × 132cm
2001
陈国勇

家山晨雲

癸未年東月國勇寫于國畫齋圖长安

家山晨雾
70cm × 132cm
2003
陈国勇

白雾横江
70cm × 132cm
2003
陈国勇

游春图
132cm × 70cm
2003
陈国勇

提升自身绘画品格的另一途径是"多观画、多读画。"特别是观摩古代书画展览。直面古代名家、大师的原作，那将是非常快意的事。在研究传统的同时，还要了解当代的艺术发展状况，这也是寻求自身艺术发展方向的重要环节。当代有些画家的作品，只追求参展的表面效果，远看气势吓人，近看则没有更深的内涵，眼光一扫而过，留不下什么印象。但是有些实力派画家的作品，有风格、有内涵，值得去研究、去品读。总之，多读画是总结前人、同时代人，研究历代山水画发展流派演变及名家大师的风格特点，从而不断反省自身艺术的好方法。

五、画自我，求个性

画家的天职应该是创造，是创造具有鲜明艺术个性的作品。石涛说，"古人未出法之前，不知古人法何法；古人出法之后，更不容今人出古法。"石涛在此强调的"不容今人出古法"、"我自为我，自有我在"，反映出艺术魅力在于追求个性差异的真谛。

所谓画家的个性就是体现在画家作品中自有的独特气息、面貌。包含有或独特的思维和美学品味；或独特的绘画语言；或独特的造型、运笔，立意创景和构图章法。这种独特面貌的形成是画家经过不懈的努力，在把握中国画共性的基础上，把对传统文脉中的精华吸取，转换成画家个人的根基底蕴基础上形成的。这是一个艰苦的艺术探索过程。

我强调今人要走出书斋，去感悟大自然中鲜活的东西，不要用古人的眼光和传统的皴法套生活，更不要照像似的重复生活。要尽可能做到"不重复古人，不重复今人，不重复生活，甚至不重复自己。"尽管阶段性的面貌护盘是必要的，但循序渐进地推进、求变化，才是艺术创作的高标准和高境界。

然而现在很多画家是无风格无面貌的，一窝风似地扎堆，无休止地跟风。有些只知临摹古人，抄袭别人，所谓的创作也是东拼西凑，照搬别人的山头，罗列别人的皴法，出来的作品似曾相识，无个性可言。还有一些学上一两招画猫画狗的技法，便自称什么"猫王"、"狗王"。画者要避免染上这些旁门左道的坏习气，做有追求、有学养、有创造、有个性的新时代艺术家。

六、讲笔墨、求逸雅

古人评画有神品、逸品、妙品、能品之分，评画家则有天才型、学者型、才情型、技术型。画家的学养、禀赋影响着画家作品的高雅低俗。观历代大家手笔，有些追求作品的散淡逸雅，有些追求作品的雄厚刚毅；有的深藏圭角，有的刚柔相济……如此种种，都离不开骨法用笔和墨韵生动。

中国画主要是以用笔墨造型。在一幅山水作品中，强调用有意味的笔墨虚实相生地去实现描绘和表达的各种形态。笔墨在画中就像人之筋骨血肉。笔为筋骨、

幽谷回声
132cm × 70cm
2004
陈国勇

浓阴不减来时路
132cm × 70cm
2005
陈国勇

高峰朝阳
132cm × 70cm
2004
陈国勇

墨为血肉；笔主气，墨主韵。石涛认为，"作书作画，无论老手后学，先以气胜。得之者精神璀璨。""先以气胜"是强调画家在作画时应把握整幅作品的骨气，运笔变化中要有力度，干脆利落，遗貌取神，用笔墨之魅力去强化作品的精、气、神。

追求画面的意境也需要画家用多变的笔墨，体现或逸雅、或秀丽、或雄奇静穆、或烟岚平坡、或西山晚照、或白雾横江的境界，以抒发自己的性情和心境。

从心中流淌出的创作激情要用精妙的笔墨呈现，一摇笔管，将眼中、胸中的丘壑宣泄于纸上。笔墨意趣以画家自身传统文脉功力作底蕴，高格的逸雅追求是画家多年艺术综合修炼的结果。除了强调笔墨技法功夫外，用墨用色也应该讲究。墨正，色正才能体现作品墨色的精美。

七、山水画创作综述

我认为，一幅成功的山水画创作要具备下列三大要素：

第一，追求山水画的精神性；

第二，追求笔墨的精炼完美；

第三，追求个人风格的独特性。

创作的欲望来自作者与大自然的心灵碰撞。有感而迸发出心灵中的火花，激励画家去寻找表现自然万象的各种的技法。它确实是画家感悟自然之美丽并迷恋自然之美丽，进而创造自然之美丽。作者的笔与墨、形与法是因自然的美丽而产生，"外师造化，中得心源"就是这个道理。作者应在大胆的遐想中完成最初如梦如幻的立意创景。当心中有了立意后就要立即大胆落笔。从宏观上，有序、有节奏地追寻整幅画面的气势和结构，在远近虚实的变化中把握画面气韵，做到达到"气、韵、神、貌"的完美结合。局部精微处用干脆利索的骨法用笔，去勾画山水的物质外貌，骨法用笔与自然景物融为一体，达到"景、笔、墨"的高度统一。

山灵之秀，贵在摄取对象的神韵。精、气、神具佳者，方可雅赏。远看气势非凡，惊心动魄；近观刻画入微、笔精墨妙。各种自然之态是作者体察物理、观察物态、寻找变化差异的技法特点之后，将技法与精神融会贯通，行运于笔墨之中，超然于物象之外。如我观察中国南方之山，搅活群山的是云烟。山中的云烟变幻无穷、意态万千，云活则山活、画活。让横云、卧云、飞云、流云，在笔墨纵横飞舞中显现，达到笔生墨韵，气势磅礴的意境，表现山水画精气、神韵的统一。

总之，创作最忌讳对自然的照搬描摹，无暇想、不求思变的所谓写实。源于生活而高于生活，将眼中之景化为心中之景，在外物与内心的互动中点画达意。观山要情满于山，画山要魂牵梦绕，不光画自己眼睛所看到的，更要画自己眼睛看不到而想到的，做到"迁想妙得"、"意在画外"。

青城后山探幽
80cm × 60cm
2002
陈国勇

终南山幽居图
132cm × 70cm
2003
陈国勇

秋高图
132cm × 70cm
2005
陈国勇

云漫大凉山
132cm × 70cm
2003
陈国勇

春山如歌

壬午年暮冬
陈国勇
郑二郎
之集於
長安市
郭志祥
楼

春山如歌
70cm × 132cm
2002
陈国勇

三峡如梦

壬午冬月 陈国勇作

三峡如梦
70cm × 132cm
2002
陈国勇

云游巫山
70cm × 132cm
2002
陈国勇

庚辰五月陈国勇

雾中仙
70cm × 132cm
2000
陈国勇

秋山无语
186cm × 90cm
2002
陈国勇

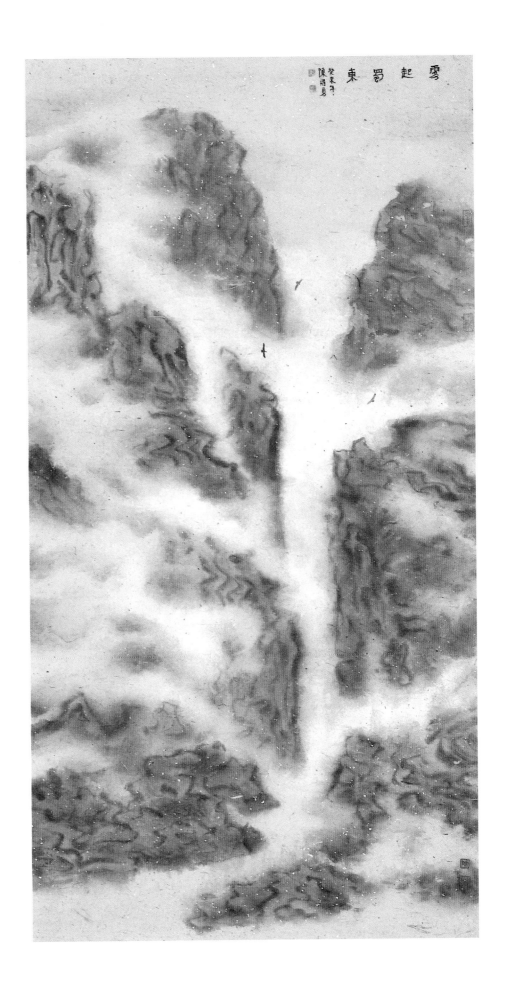

雾起蜀东
132cm × 70cm
2003
陈国勇

山灵之秀
贵在
摄之
神韵
精气
神俱
佳者
方可
及赏
甲申九月
陈国勇

山灵之秀
98cm × 180cm
2004
陈国勇

峡谷幽静图

190cm × 90cm

2005

陈国勇

雾起白帝城
132cm × 70cm
2004
陈国勇

岚光山色
132cm × 70cm
2005
陈国勇

玉垒山居
180cm × 98cm
1996
陈国勇

云嬉青山

甲甲五月陈国夏作

云嬉青山
70cm × 132cm
2004
陈国勇

青山白露
132cm × 70cm
1993
陈国勇

秦岭云
130cm × 79cm
1987
陈国勇

終南山瑞雪

辛巳岁暮红草山莊绛东
写此图 陈国勇画

终南山瑞雪
68cm × 132cm
2001
陈国勇

神游图
98cm × 180cm
1994
陈国勇

鬼王行乐图
132cm × 68cm
1993
陈国勇

红山白云之秋
132cm × 70cm
2004
陈国勇

春去春又回
132cm × 70cm
2005
陈国勇

天国之门
190cm × 90cm
1994
陈国勇

金色狂舞
223cm × 124cm
1999
陈国勇

乱云闹巴此

甲寅二月陈国勇作

乱云闹巴山
70cm × 132cm
2004
陈国勇

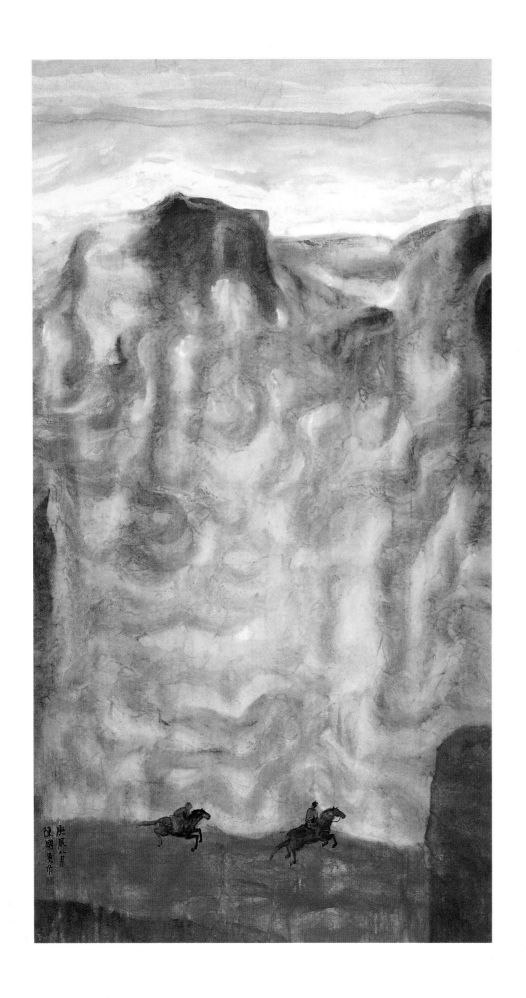

跑马欢歌
180cm × 98cm
2000
陈国勇

雁南飞
132cm × 70cm
2003
陈国勇

跑马贺兰山下

70cm × 132cm

2003

陈国勇

天山夕照
98cm × 180cm
1987
陈国勇

高山流云
180cm × 98cm
2002
陈国勇

山野幽居
80cm × 60cm
2002
陈国勇

105

巴山怀古
70cm × 132cm
2002
陈国勇

遥望故乡

遥望故乡
70cm × 132cm
2004
陈国勇

云卧山
124cm × 250cm
2004
陈国勇

少陵塬下
132cm × 70cm
1993
陈国勇